P9-CMB-850

Connais-tu
Jules Verne

Textes : Johanne Ménard
Illustrations et bulles : Pierre Berthiaume

Catalogage avant publication de Bibliothèque et Archives nationales du Québec et Bibliothèque et Archives Canada

Ménard, Johanne, 1955-

Jules Verne

(Connais-tu? ; 13)
Pour les jeunes de 8 ans et plus.

ISBN 978-2-89435-608-1

1. Verne, Jules, 1828-1905 - Ouvrages pour la jeunesse. 2. Écrivains français - 19e siècle - Biographies - Ouvrages pour la jeunesse. I. Berthiaume, Pierre, 1956- . II. Titre. III. Collection : Connais-tu? ; 13.

PQ2469.Z5M46 2013 j843'.8 C2013-940980-7

Collaboration à la recherche: Simon Dunn
Collaboration aux idées de gags: Maude Ménard
Révision linguistique: Paul Lafrance
Conception graphique: Céline Forget
Infographie: Marie-Ève Boisvert

La publication de cet ouvrage a été réalisée grâce au soutien financier du Conseil des Arts du Canada et de la SODEC.

De plus, les Éditions Michel Quintin reconnaissent l'aide financière du gouvernement du Canada par l'entremise du Fonds du livre du Canada pour leurs activités d'édition.

Gouvernement du Québec – Programme de crédit d'impôt pour l'édition de livres – Gestion SODEC

ISBN 978-2-89435-608-1
Dépôt légal – Bibliothèque et Archives nationales du Québec, 2013
Bibliothèque et Archives Canada, 2013

Éditions Michel Quintin
4770, rue Foster, Waterloo (Québec)
Canada J0E 2N0
Tél.: 450 539-3774
Téléc.: 450 539-4905
editionsmichelquintin.ca

1 3 - A G M V - 1

Imprimé au Canada

CONNAIS-TU JULES VERNE (1828-1905), L'ÉCRIVAIN À L'IMAGINATION DÉBORDANTE ? CONSIDÉRÉ COMME LE PÈRE DE LA SCIENCE-FICTION, IL A CRÉÉ DES MONDES FANTASTIQUES QUI ONT FAIT RÊVER DES GÉNÉRATIONS DE JEUNES AVENTURIERS.

« Larguez les amarres ! Hissez les voiles ! » Voilà ce que le jeune Jules Verne rêve de crier lorsqu'il observe les grands bateaux, en partance pour

l'étranger, charger leurs cargaisons devant chez lui à Nantes en France.

Au domaine de l'oncle Prudent, l'aventure se poursuit. Dans la bibliothèque, le jardin ou les bois, Jules et son jeune frère, Paul, inventent des contrées pleines de dangers, des mondes inconnus qui les éblouissent à

chaque détour. Il faut dire que le vieil oncle alimente bien les rêves fantastiques, avec le récit de ses voyages en Amérique.

La légende raconte qu'à 11 ans, Jules s'embarque comme mousse sur un grand voilier en route vers les Indes. Il veut rapporter un collier précieux pour

sa cousine Caroline dont il est amoureux. Son père récupère le fugueur à temps dans une ville un peu plus loin sur le fleuve.

Jules assure qu'il a tout de même déjà « pris la mer » à sa façon. Embarqué seul pour l'aventure dans une petite chaloupe, le jeune intrépide est bientôt forcé de se réfugier sur une île près de la berge du fleuve.

Son fier navire prend l'eau ! Il rejoint la terre ferme à pied une fois la marée basse, laissant de côté ses rêves de Robinson Crusoé.

Le temps passe. Jules Verne est maintenant un jeune étudiant en droit. Malheureux en amour, il quitte Nantes en 1848 et se rend à Paris pour y poursuivre

ses études. À 20 ans, grâce à un oncle peintre, il découvre la vie artistique trépidante de la capitale et surtout le milieu du théâtre.

Les grands écrivains du temps, comme Victor Hugo, le fascinent et il devient l'ami du fils d'Alexandre Dumas, un autre auteur de grands romans d'aventure.

Inspiré, Jules Verne se met lui aussi à l'écriture, concoctant des pièces de théâtre parfois dramatiques, parfois comiques.

En 1850, il fait la rencontre d'un homme qui va avoir une grande influence sur lui : Jacques Arago. Ce géographe globe-trotter a déjà publié le récit

de ses nombreux voyages autour du monde. Devenu aveugle, il n'en continue pas moins de partager ses expériences extraordinaires avec ses lecteurs.

Jules Verne est de plus en plus fasciné par la science, le progrès et les voyages. Il commence

à publier ses propres histoires débordantes d'imagination dans une revue mensuelle.

En 1857, l'écrivain en herbe se marie avec une jeune veuve déjà mère de deux filles. Un fils, Michel, naîtra de leur union quelques années plus tard.

Pour subvenir aux besoins de sa petite famille, Jules obtient un poste d'agent de change à la Bourse. Mais sa passion pour l'écriture le ronge toujours et son travail lui pèse.

L'aventure se présente bientôt à Jules sous la forme d'un voyage en Angleterre et en Écosse avec son meilleur ami. Deux ans plus tard, les deux complices

visitent la Scandinavie. Le carnet de notes de Jules se remplit de légendes et de paysages fabuleux.

Délaissant peu à peu son travail à la Bourse, Jules Verne passe de plus en plus de temps enfermé dans son bureau à étudier. Il se montre passionné par la

géographie et toutes les découvertes scientifiques de l'époque. L'idée d'un premier grand roman d'aventures prend bientôt forme.

À la recherche d'un éditeur pour son premier livre, Jules Verne rencontre en 1862 l'homme qui sera l'artisan de ses succès futurs : Pierre-Jules Hetzel.

Emballé par le style de son nouveau protégé, l'éditeur publie l'année suivante *Cinq semaines en ballon*, qui obtient un succès retentissant.

Alliant science et fiction, ce premier roman raconte les aventures extraordinaires de trois personnages, un docteur, son ami et son domestique, qui voyagent

en ballon au-dessus de l'Afrique et découvrent des mondes fascinants, tant sur terre que dans les airs.

Jules Verne invente pour ses héros des péripéties rocambolesques. Mais il veut aussi transmettre à ses lecteurs des notions de différentes sciences comme la géologie, la botanique, la géographie ou l'astronomie.

Son éditeur et lui lancent ainsi un nouveau genre, le roman scientifique, qui plaît beaucoup aux jeunes mais aussi aux adultes.

Le prochain grand succès, *Voyages et aventures du capitaine Hatteras*, nous entraîne à la suite d'un jeune officier de marine prêt à braver tous les dangers pour atteindre le pôle Nord avant ses compétiteurs.

Verne imagine qu'un grand volcan en éruption se dresse à l'extrême nord de la planète et que son héros le gravit jusqu'au bord du gouffre.

Avant d'être publié sous forme de livre, ce nouveau récit est présenté par petites parties, en feuilleton, dans une revue. Cette façon de faire est alors très

à la mode, et plusieurs des futurs romans de l'auteur seront d'abord disponibles ainsi.

Les idées bouillonnent dans la tête de Jules Verne. Son éditeur lui fait signer un contrat pour qu'il écrive deux romans par année. Il décide de regrouper les

aventures déjà parues et celles à venir dans une seule collection. La série « Voyages extraordinaires » est née et comprendra 64 romans !

Jules Verne n'arrête jamais de se renseigner sur les nouvelles découvertes scientifiques. Comme son époque est remplie d'avancées extraordinaires, les sujets ne manquent pas pour alimenter sa créativité.

La machine à vapeur, l'électricité, l'automobile, les grandes explorations, tout l'intéresse et l'inspire pour imaginer de quoi sera fait l'avenir.

Plusieurs de ces histoires s'avéreront très près de la réalité à venir. Mais l'une d'entre elles reste encore de la fiction aujourd'hui. Dans *Voyage au centre de la Terre*, un professeur de chimie et son jeune neveu

trouvent un passage vers les profondeurs de la planète, grâce à un parchemin ancien découvert par le scientifique.

Depuis son enfance, Verne est passionné par la mer. Il s'installe d'ailleurs tout près d'elle avec sa petite famille et passe beaucoup de temps sur son voilier. En 1867, le voilà embarqué avec son frère

Paul pour un aller-retour vers l'Amérique sur le plus gros paquebot de l'époque. La traversée est remplie d'incidents et de tempêtes mémorables qui seront pour lui une grande source d'inspiration.

Vingt mille lieues sous les mers paraît l'année suivante. Ce célèbre roman d'aventures raconte l'histoire d'un jeune scientifique et de ses deux collaborateurs qui partent à la recherche d'un supposé monstre marin.

L'équipe découvre bientôt que le monstre est en fait un sous-marin conduit par le ténébreux capitaine Nemo.

Dans cette odyssée, le capitaine Nemo fait découvrir à l'équipe qu'il a rescapée les beautés de la vie sous-marine. Les hublots du Nautilus permettent aux scientifiques de décrire la faune et la flore

extraordinaires qui les entourent. Sillonnant les mers, le curieux équipage affronte mille dangers, dont une pieuvre géante, et contemple même le continent perdu de l'Atlantide.

On raconte que, dans le bureau de Jules Verne, au milieu des encyclopédies et des manuels scientifiques de toutes sortes, s'étale une grande

carte du monde barbouillée des trajets qu'il veut voir ses personnages emprunter. Son but serait de faire parcourir toute la Terre à ses lecteurs !

Dans une épopée pleine de rebondissements, Phileas Fogg, gentleman anglais, accompagné de son fidèle domestique Passepartout, relève

un très grand défi. Le roman *Le tour du monde en quatre-vingts jours* connaît un immense succès.

Empruntant toutes sortes de moyens de transport comme le train, l'automobile, le bateau, la montgolfière, le traîneau et même l'éléphant, le héros se joue de tous les obstacles pour gagner son pari et parcourir

la planète en un temps record. Cependant il prend le temps de sauver une jeune femme en Inde qu'il épousera à la fin de son périple.

Jules Verne est maintenant une vedette internationale. Il aimerait bien être élu à la prestigieuse Académie française. Mais ses espoirs seront déçus. Il recevra

cependant bien d'autres titres honorifiques, comme celui d'officier de la Légion d'honneur, et siégera longtemps à l'académie d'Amiens, sa ville d'adoption.

Les années se succèdent, remplies de publications et de tribulations joyeuses, comme plusieurs croisières sur son grand bateau, mais aussi d'événements plus tristes. En 1886, année de la mort de son éditeur et

ami Hetzel, Jules Verne est blessé par son neveu qui lui tire une balle dans la jambe. Le jeune homme sera interné pour troubles mentaux et l'écrivain restera boiteux.

En 1905, à l'âge de 77 ans, le célèbre auteur meurt grugé par le diabète. Il laisse un nombre impressionnant d'écrits qui feront voyager bien des générations d'aventuriers en herbe fascinés

par son côté visionnaire et son sens du récit. Pour sa part, il avouait n'avoir jamais mis les pieds autrement qu'en imagination dans bien des pays où ses héros évoluaient.

Plus d'un siècle après sa mort, Jules Verne est encore l'un des auteurs les plus lus dans le monde. On ne compte plus les événements, les projets, les concours, les endroits qui portent son nom.

Et peut-être l'esprit de Jules Verne rira-t-il encore longtemps dans sa barbe, quelque part dans le cosmos, en voyant les univers qu'il a jadis imaginés rejoindre peu à peu la réalité.

Ce livre a été imprimé sur du papier contenant 100 %
de fibres recyclées postconsommation, certifié Écolo-Logo
et Procédé sans chlore et fabriqué à partir d'énergie biogaz.